Maria Luisa Banfi   Simona Gavelli

CW00820177

Delitto in
Piazza del Campo

CIDEB

Redazione: Donatella Sartor
Progetto grafico: Nadia Maestri
Illustrazioni: Gianni De Conno

Prima edizione: gennaio 2000

10 9 8 7 6 5 4 3 2 1

Saremo lieti di ricevere i vostri commenti ed eventuali suggerimenti, e di fornirvi ulteriori informazioni che riguardano il nostro materiale:
Cideb Editrice – Piazza Garibaldi 11/2 – 16035 Rapallo (GE)
Fax 0185/230100 – e-mail: cideb@libero.it

PRINTED ON FREELIFE®FEDRIGONI

ISBN 88-7754-492-9 libro

ISBN 88-7754-353-1 libro + cassetta

Stampato in Italia da: Litoprint, Genova

Îndice

Questi simboli indicano l'inizio e la fine delle attività di ascolto.

CAPITOLO 1

Il buongiorno
si vede dal mattino

ella camera numero 21 dell'Hotel
Duomo, il telefono squilla già da un po'
quando, finalmente, una mano alza il
ricevitore:

– Sì? Pronto! –

– Ferretti! Sveglia! –

– Che ore sono? –

– Le dieci!... Ferretti, devi fare subito un servizio. [1] –

---

1. **un servizio** : articolo o reportage giornalistico scritto da un inviato o collaboratore di giornale.

Delitto in Piazza del Campo

– Un servizio? Capo, hai sbagliato giorno, il Palio è fra una settimana. –

– No, non ti chiamo per il Palio; stanotte c'è stato un omicidio, lì, a Siena. –

– Io sono qui per il Palio, non mi occupo di cronaca nera. [1] Scrivo solo articoli di costume, [2] non mi interessano gli omicidi. Manda qualcun altro. –

– Non posso, Ferretti! Il caso è tuo. Prepara un articolo per stasera e cerca di inviarci aggiornamenti tutti i giorni. A presto e buon lavoro! –

Questo nuovo incarico stupisce molto Ferretti che rimane con il ricevitore in mano.

Paolo Ferretti lavora da circa dieci anni per un quotidiano a tiratura nazionale. [3] È un personaggio molto originale: sulla cinquantina, scapolo, basso di statura, piuttosto grasso e con un principio di calvizie; non possiede certo un fisico atletico e non si può definire un bell'uomo; nonostante ciò è sempre circondato da belle donne. Lo si incontra ai ricevimenti importanti, alle sfilate di moda e alle inaugurazioni, dove è sempre al centro dell'attenzione.

---

1. **cronaca nera** : informazione su delitti e sciagure.
2. **articoli di costume** : articoli su eventi mondani.
3. **a tiratura nazionale** : (giornale) distribuito su tutto il territorio nazionale.

Comprensione

1 Hai letto attentamente il capitolo 1? Rispondi alle seguenti
domande.

1. Che mestiere fa Ferretti?
2. Che ora è?
3. Dove si trova?
4. Qual è la reazione di Ferretti al nuovo incarico?
5. Di che cosa si occupa normalmente Ferretti al giornale?
6. Per quale tipo di giornale lavora Ferretti?

Parole, parole, parole...

2 Rileggi il capitolo e indica qui sotto le espressioni che si
riferiscono al delitto e quelle che si riferiscono alla professione
di Ferretti.

Delitto	Professione di Ferretti

3 Ecco la camera di Ferretti. Trova ciascun oggetto, servendoti delle parole qui sotto elencate.

✓letto   guanciale   coperta
comodino   poltrona   ✓armadio   ✓quadro
✓televisione   ✓porta   specchio   ✓asciugamani
✓lavabo   ✓finestra   ✓telecomando
✓tappeto   ✓telefono

4 Che ora è? Osserva i seguenti orologi e scrivi sotto a ciascuno l'ora esatta.

1. .... 2. ....

3. .... 4. ....

5. .... 6. ....

Siena a cavallo tra modernità e tradizione

Nel corso dei secoli la città è sempre stata un esempio di indipendenza e vitalità culturale e politica.

Come un piccolo paese, ognuna delle 17 contrade in cui è suddivisa ha una chiesa, un museo, sedi storiche e un circolo. La contrada è il prolungamento della propria casa. Gli abitanti della contrada, contradaioli, fanno parte di un'unica grande famiglia. Le attività ricreative sono continue: balli, iniziative per i giovani, le donne e gli anziani.

V. Rustici, Corse di tori e altri giochi in Piazza del Campo a Siena, *1600 c.*

La città è da sempre una meta turistica e lo dimostrano i 300.000 visitatori che ogni anno attraversano Piazza del Campo e i 3.000 studenti iscritti alla sua Università per stranieri.

Nel 1995 l'UNESCO ha nominato la città di Siena patrimonio dell'umanità.

Nel 1997 ha ricevuto il primato di città toscana per la migliore qualità della vita: i suoi 58.000 abitanti hanno il reddito più alto e la tecnologia è all'avanguardia.

Forse il segreto di Siena, chiusa tra mura medievali, è proprio nella unione tra tradizione ed evoluzione sociale, tra campanilismo [1] e turismo internazionale.

Siena dall'alto: in evidenza la Torre del Mangia.

1. **campanilismo** : forte legame alle tradizioni della propria città.

CAPITOLO 2

Che delitto non assaggiare il panforte!

C he brutto risveglio! Ferretti si alza faticosamente dal letto.

Centoventi chili di peso non sono uno scherzo, ma per lui da sempre grasso è un'abitudine. Non ricorda infatti di essere mai stato magro.

Avvolto in una vestaglia di seta blu, si siede su una poltrona e ordina la colazione per telefono: – Sono Ferretti, vorrei un cappuccino con molta schiuma e una spruzzata di

Delitto in Piazza del Campo

cacao amaro, tre bomboloni alla crema e due cornetti salati con prosciutto crudo di Parma. Ah, dimenticavo, ci sono notizie dell'omicidio di stanotte? –

– Certo, signor Ferretti, tutta Siena parla dell'omicidio, una cosa terribile e, con la corsa del Palio, una tragedia! Provvediamo subito a portare la colazione. –

Quando arriva la colazione il giornalista è ancora seduto. Con aria pensosa si liscia la barba; [1] in fondo non sarà poi così difficile scrivere un articolo sull'omicidio.

Quando torna il cameriere per ritirare il vassoio, Ferretti gli chiede: – Sai dov'è avvenuto l'omicidio? –

– Sì, signore, in Piazza del Campo, sui palchi [2] sistemati per il Palio. Hanno ucciso una donna con una pugnalata al cuore. L'hanno trovata in una pozza di sangue. –

– E chi è? –

– Non so. Dicono che è dell'ambiente dei cavalli e che l'assassino ha lasciato la sua firma. Sull'impugnatura [3] dell'arma sono incise delle iniziali, probabilmente quelle dell'assassino. Ora devo andare. Buona giornata, signore. –

– Grazie a te, ragazzo. –

---

1. **si liscia la barba** : si tocca la barba.
2. **palchi** : gradini di legno dove siedono gli spettatori.
3. **impugnatura** : manico (del pugnale).

Delitto in Piazza del Campo

Dopo aver consumato la colazione, esce indossando un completo di lino bianco e un panama, [1] un fazzolettino di seta nel taschino della giacca e scarpe bicolori. Egli tiene molto alla sua immagine, [2] ha una grande passione per i vestiti su misura [3] che acquista da un famoso sarto romano. Le scarpe, anch'esse su misura, provengono dalla vecchia bottega [4] di un calzolaio di Milano, mentre un laboratorio di speziali [5] di Firenze prepara il suo profumo.

Ferretti si dirige allora in Piazza del Campo, luogo del delitto.

La zona dei palchi, delimitata da nastro rosso e bianco, è sorvegliata da una decina di poliziotti. Molta gente gira per la piazza; i turisti stranieri osservano senza capire granché e continuano a scattare foto.

---

1. **un panama** : cappello maschile di paglia bianca.
2. **tiene molto alla sua immagine** : ha particolare cura del suo aspetto.
3. **vestiti su misura** : abiti di sartoria fatti secondo le misure del cliente.
4. **bottega** : laboratorio artigianale.
5. **speziali** : venditori di spezie, profumi, erbe medicinali.

Che delitto non assaggiare il Panforte!

Prima di iniziare le indagini, Ferretti decide di bere un buon caffè ed entra in uno dei bar della piazza. Sui ripiani a fianco del bancone [1] sono esposti i panforti. Ferretti non sa se prendere una fetta di panforte nero, "il classico", oppure il tipo bianco, più dolce con agrumi canditi e pasta di mandorle. Che dilemma!

Ferretti si siede a un tavolo fuori, sulla piazza, e ordina un caffè macchiato e due fette di panforte, una nera e una bianca, perché, pensa tra sé, – Sarebbe un delitto [2] non assaggiare le due specialità! [3] –

---

1. **bancone** : lungo tavolo che, nei negozi, separa i venditori dal pubblico.
2. **sarebbe un delitto** : (fig.) sarebbe un errore imperdonabile, una mancanza.
3. **specialità** : prodotto tipico della zona.

Comprensione

1 Completa l'identikit di Ferretti, indicando con una ✗
l'espressione che lo descrive.

1. Pesa

> 150 kg
> 120 kg
> 110 kg

2. Ha

> la barba
> i baffi
> il viso rasato

3. Indossa

> un cappello di paglia
> un berretto
> un passamontagna

4. Preferisce comprare i vestiti

> a buon mercato
> su misura
> nei grandi magazzini

5. Porta

> scarpe di pelle
> scarpe bicolori
> scarpe da tennis

6. Nel taschino della giacca porta

> gli occhiali da sole
> le sigarette
> un fazzolettino di seta

Scrittura e discusssione

2 Rispondi alle seguenti domande.

1. Perché, secondo te, è un "brutto risveglio" quello di Ferretti?
2. Perché, secondo te, "l'omicidio è una cosa terribile e, con la corsa del Palio, una tragedia"?
3. Ti piacerebbe lavorare in un giornale? Se sì, di che cosa ti piacerebbe occuparti?
4. Descrivi la tua colazione ideale.
5. Quanto è importante, secondo te, il modo di vestire di una persona? Che tipo di abbigliamento preferisci?

Facciamo il punto della situazione

3 Immagina di essere Ferretti e di annotare puntualmente tutti gli indizi su un'agenda. A te la penna...

Luogo del delitto: ....

Vittima: ....

Modalità del delitto: ....
....
....

Altri indizi: ....
....
....

Chiare fresche e dolci acque...

Siena ha sempre sofferto della scarsità d'acqua; nel Medioevo sono stati creati oltre 24 km di acquedotti sotterranei, detti bottini.

Scopriamo, allora, la città attraverso le sue fontane.

Il nostro itinerario parte da Piazza del Campo.

Nella piazza, a forma di conchiglia, si corre il Palio e si trova una delle più celebri fontane-simbolo della città: la *Fonte Gaia*; dal 1343, grazie a essa, l'acqua arriva nella piazza. Le cronache del tempo testimoniano di cortei e grandiosi festeggiamenti per celebrare l'evento.

Il Palazzo Pubblico e il Museo Civico che si affacciano sulla piazza ospitano celebri affreschi di Simone Martini e Ambrogio Lorenzetti. Dalla *Torre del Mangia* (alta 102 m.) si domina la città e la campagna circostante. Poco distante

Fonte Gaia:
una delle fontane simbolo di Siena.

Fonte del mercato vecchio.

troviamo la *Fonte del mercato vecchio* dove, fino al dopoguerra, le donne facevano il bucato. Anche il passato della *Fonte del Casato* è curioso; infatti, costruita sotto la strada, non risulta visibile. Per questo nel XVI secolo una spia fiorentina, inviata dalla città rivale per disegnare una mappa delle fontane delle quali avvelenare l'acqua, non la vide.

L'imponente *Fontebranda* è il cuore e il simbolo della contrada dell'Oca. Secondo la tradizione le sue acque alimentano la pazzia dei senesi dai tempi del Palio. Qui ci dissetiamo prima di salire verso la basilica di San Domenico che ospita le reliquie di Santa Caterina, la patrona d'Italia.

Facciata della basilica di San Domenico.

CAPITOLO 3

Una conversazione interessante

Ferretti! Cosa fai qui, a Siena? –
– Oh, avvocato Termoli, che piacere, prendi un caffè con me? –
– Volentieri, grazie. Brutta storia questo omicidio. –

– Io veramente non so ancora niente, ma sono qui per raccogliere notizie e scrivere un articolo per il giornale. –

– Da quando ti occupi di cronaca nera? –

– Da stamani, strano vero? –

Una conversazione interessante

– Sì! Nell'omicidio sono coinvolte [1] molte persone in vista [2] qui a Siena.

– Davvero? Racconta! –

 – L'identità della vittima è ancora sconosciuta. La polizia non ha trovato i suoi documenti. Non deve essere una di qui. [3] Invece l'assassino è uno del posto sicuramente. La polizia non ha ancora rivelato il suo nome, ma le tracce portano tutte a una persona di spicco della nobiltà senese.

– Se non sbaglio, la polizia ha trovato l'arma del delitto. Un pugnale con delle iniziali. –

– Sì, sull'impugnatura del pugnale, un oggetto antichissimo e prezioso, sono incise due G e anche uno stemma. [4] Lo stemma è del casato dei Gualdi e l'ultimo Conte Gualdi si chiama appunto Gualtiero Gualdi come il suo antenato. [5] Le iniziali, G.G., non lasciano dubbi. –

– Gualtiero Gualdi? Sembra impossibile. L'ho incontrato

---

1. **sono coinvolte** : sono implicate.
2. **persone in vista** : persone importanti, conosciute, persone di spicco.
3. **una di qui** : una persona del posto.
4. **stemma** : emblema di famiglia nobile.
5. **antenato** : avo, capostipite.

Delitto in Piazza del Campo

più volte a dei ricevimenti e sembra una brava persona. Per quale motivo l'omicidio? –

– Ecco, un pettegolezzo [1] circola nell'ambiente. Gualdi conduce una vita un po' "allegra". Mi spiego meglio: per il decoro [2] del casato [3] ha una moglie ufficiale, ma frequenta anche delle amanti. –

– Non è poi così strano. Persone spesso insospettabili hanno relazioni extraconiugali. [4] –

– Già, ma al Gualdi piacciono le donne già impegnate. Più di una volta infatti ha ricevuto minacce da mariti e fidanzati traditi. –

– Non lo conoscevo sotto questo aspetto. Ma allora potrebbe essere un omicidio passionale. –

– Caro Ferretti, devo andare; aspetto domani per leggere il tuo primo articolo di cronaca nera. Arrivederci. –

– Arrivederci, avvocato Termoli, grazie per le preziose notizie! –

Intanto Ferretti, che ha finito il suo panforte, attraversa la piazza e rivolge alcune domande a un poliziotto. Inizialmente l'uomo esita a rispondere; poi, quando

---

1. **pettegolezzo** : chiacchiera, maldicenza.
2. **decoro** : onore.
3. **casato** : dinastia.
4. **relazioni extraconiugali** : che avvengono fuori del rapporto matrimoniale.

Una conversazione interessante

riconosce Ferretti, risponde, certo di apparire sul giornale
tra i Vip.

Ferretti raccoglie così delle notizie interessanti: il
pugnale usato per l'omicidio è di grande valore;
sull'impugnatura sono incastonate [1] delle pietre preziose,
due smeraldi e un rubino.

Quando è stato scoperto l'omicidio, il cadavere di una
giovane donna di età tra i venti e i trent'anni giaceva su un
palco con il capo rivolto all'indietro. Indossava solo un
impermeabile e, conficcato nel cuore, c'era il pugnale. La
donna è morta sul colpo, [2] non c'è stata colluttazione: [3]
probabilmente la vittima conosceva il suo assassino.

Sulla suola degli stivali c'erano tracce di terra e
pagliuzze. [4] La donna frequentava quindi delle scuderie. [5]

Prima di congedarsi, [6] Ferretti gli chiede ancora:

– Chi si occupa del caso? –

– Il commissario Maccari, signore. –

– Molte grazie, agente, grazie ancora per l'aiuto. –

---

1. **incastonate** : montate, incassate.
2. **è morta sul colpo** : morta subito.
3. **colluttazione** : lotta.
4. **pagliuzze** : pezzetti, fuscelli di paglia.
5. **scuderie** : stalle per i cavalli.
6. **congedarsi** : andarsene salutando.

Comprensione

1 **Indica con una ✗ l'affermazione esatta.**

1. Il conte è
  - [ ] sposato
  - [ ] divorziato
  - [ ] separato

2. L'assassino è di
  - [ ] Napoli
  - [ ] Roma
  - [ ] Siena

3. L'arma del delitto è
  - [ ] un fucile
  - [ ] una pistola
  - [ ] un pugnale

4. Il conte conduce una vita
  - [ ] triste
  - [ ] allegra
  - [ ] solitaria

5. Al conte piacciono le donne
  - [ ] sposate o fidanzate
  - [ ] libere
  - [ ] vedove

6. L'avvocato Termoli dà
  - [ ] buone
  - [ ] cattive   notizie a Ferretti
  - [ ] preziose

7. Ferretti interroga
  - [ ] un poliziotto
  - [ ] uno straniero
  - [ ] un testimone

Facciamo il punto della situazione

2 Immagina di essere Ferretti e di annotare puntualmente tutti gli indizi su un'agenda. A te la penna...

Identità della vittima: ....

Informazioni sul cadavere: ....

....

....

Informazioni sull'assassino: ....

....

....

Arma del delitto: ....

Caccia alle parole

3 Ascolta attentamente la cassetta e completa il testo con le parole mancanti.

L'identità della .... è ancora sconosciuta. La polizia
non ha trovato i suoi documenti. Non deve .... una
di qui. Invece l'...................... è uno del posto sicuramente. La
polizia non ha ancora rivelato il suo nome, ma le ....
portano .... a una persona di .... della
nobiltà senese.

– Se non sbaglio, la polizia ha trovato l'arma del ....
Un pugnale con delle iniziali. –

– Sì, sull'impugnatura del pugnale, un .... e
prezioso, sono incise due G e anche uno .... Lo
stemma è del casato dei Gualdi e l'ultimo Conte Gualdi si chiama
.... Gualtiero Gualdi come il suo antenato. Le
iniziali, G. G., non lasciano .... –

CAPITOLO 4

Ferretti unisce l'utile al dilettevole

Ferretti, che è un buongustaio, decide di pranzare alla trattoria "La Torre". È un locale tipico, sempre affollato, proprio a due passi dalla Torre del Mangia. Per entrare bisogna sempre farsi strada [1] tra i turisti, magari riuscendo poi a trovare un tavolo in un angolo, in fondo al locale.

---

1. **farsi strada** : aprirsi un passaggio.

Ferretti unisce l'utile al dilettevole

Ferretti non si scoraggia tanto facilmente ed entra con sicurezza nella trattoria, poi si avvicina al bancone che separa la sala da pranzo dalla cucina. Lì c'è Pietro che serve ai tavoli, mentre la sua mamma Angela lavora ai fornelli.

Ferretti li conosce ormai da tanti anni: – Pietro, come stai? –

– Guarda, guarda, Paolo Ferretti! Sei qui per il Palio? –

– Sì, ma non solo. Pietro c'è un posticino per me? Ho una fame! ... –

– Certo, trovo subito un tavolo. –

Ferretti si siede; di fronte c'è una coppia di giapponesi che gli sorride cordialmente.

– Pietro, cosa propone oggi il menù? –

– Gnocchi di patate al sugo, ravioli, tagliatelle della mamma, quelle tirate a mano con il mattarello [1] e poi pasta e fagioli. –

– Benissimo, ho proprio voglia di pasta e fagioli, e per secondo? –

– Scaloppe, ossibuchi, bistecche alla fiorentina, arista di maiale, [2] e oggi, eccezionalmente piccione [3] arrosto! –

---

1. **tirate a mano con il mattarello** : antico metodo per fare la pasta fresca.

2. **arista di maiale** : pezzo della schiena usato per il tipico arrosto della cucina toscana.

3. **piccione :**

Delitto in Piazza del Campo

– Prendo gli ossibuchi e due fettine di arista, per contorno
un bel piatto di patate al forno e da bere il Chianti della casa. –

Ferretti unisce l'utile al dilettevole

– Hai davvero un gran appetito, oggi. –

– Come sempre. Oggi, però, ho una giornata impegnativa. –

Delitto in Piazza del Campo

Poco dopo Ferretti inizia a mangiare.

Tra la gente che affolla [1] la trattoria si sente parlare solo dell'omicidio. Ferretti assapora perciò il suo piatto di pasta e fagioli, ma il suo orecchio è teso [2] ad ascoltare ogni parola, finché sente una ragazza che dice:

– Conoscevo bene la vittima! –

Ferretti si gira e scorge una ragazza che parla con un ragazzo.

Decide allora di andarle a parlare: – Scusami, hai detto che conoscevi la donna assassinata? –

– Sì, la conoscevo, eravamo compagne di stanza. –

– Hai informato la polizia? –

– No, ecco non voglio avere guai; [3] insomma, quando questa mattina sono passata da Piazza del Campo, c'era la

---

1. **affolla** : riempie, occupa un luogo.
2. **il suo orecchio è teso** : (fig.) presta molta attenzione a tutto ciò che viene detto.
3. **guai** : problemi, complicazioni.

Ferretti unisce l'utile al dilettevole

polizia; mi sono avvicinata e ho riconosciuto la mia
compagna di stanza. Ho avuto paura e mi sono allontanata
in fretta. Comunque,
nell'ambiente dei
cavalli la conoscevano
in molti, è facile
scoprire la sua
identità; io, nel
frattempo, avrò
cambiato
camera. –
– Così rischi
di metterti nei
guai; a
proposito, come
ti chiami? –
– Mi chiamo
Giovanna, ma perché mi metterei nei guai? –
– Con questo comportamento darai l'impressione di
voler nascondere qualcosa. Piuttosto va' dal commissario
Maccari. Se vuoi, ti accompagno; vedrai, non ti succederà
nulla. –
– Va bene, ma chi è lei? –
– Mi chiamo Paolo Ferretti e sono un giornalista.
Finiamo di pranzare e andiamo. –

Delitto in Piazza del Campo

– D'accordo. –

Ferretti torna al suo tavolo, cerca di gustare il suo piatto di carni, ma ha fretta di andare al commissariato.

– Accidenti, dovrò rinunciare ai cantucci [1] con il Vin Santo, [2] pazienza. Pietro, portami il conto e anche quello dei ragazzi. Pago tutto io. –

Poi, rivolgendosi alla ragazza, aggiunge: – Giovanna sbrigati, andiamo! Ehi, mi devi una porzione di cantucci e un bicchiere di Vin Santo! –

---

1. **cantucci** : biscotti toscani fatti di pane dolce all'olio e mandorle a pezzi.
2. **Vin Santo** : vino tradizionale prodotto con uve passite e invecchiato in piccole botti.

Comprensione

1 Hai letto attentamente il capitolo? Per scoprirlo indica con una
✗ l'affermazione esatta.

1. Ferretti
        cena
        pranza   alla trattoria "La Torre"
        fa colazione

2. Di fronte al tavolo di
Ferretti c'è una coppia di
      giapponesi
      cinesi
      coreani

3. La gente parla del
      Palio
      più e del meno
      delitto

4. Ferretti ascolta le parole di
      Pietro
      Giovanna
      Angela

5. La ragazza e la vittima erano
      compagne di stanza
      vicine di casa
      compagne di scuola

6. Le ragazze frequentavano
l'ambiente
      delle corse
      della Borsa
      dei cavalli

2 Ti trovi alla trattoria "La Torre". Immagina di essere Ferretti, ricordi il menù che ha scelto? Indica con una ✗ quel che mangia.

Primi

Gnocchi di patate al sugo

Ravioli

Tagliatelle della mamma

Pasta e fagioli

Secondi

Scaloppe

Ossibuchi

Bistecca alla fiorentina

Arista di maiale

Piccione arrosto

Contorni

Insalata

Patate al forno

Dolci

Crostata

Tiramisù

Cantucci con il Vin Santo

Parole, parole, parole...

3 Indica con una X il significato delle seguenti parole o
espressioni.

1. È un buongustaio.

    ha gusto

    ha stile

    ama la buona cucina

2. Rinunciare (a qualcosa)

    lasciar perdere (qualcosa)

    dimenticare (qualcosa)

    smarrire, perdere (qualcosa)

3. Sbrigati!

    alzati!

    fai con comodo!

    fai presto!

4. Assaporare

    divorare

    gustare

    assaggiare

5. Locale tipico

    locale costoso

    locale atipico

    locale caratteristico

6. Scorgere

    riuscire

    vedere

    non notare

Momento grammaticale

4 Completa le seguenti frasi con i pronomi personali complemento
lo, l', la, le, li, gli, come nell'esempio.

Avete salutato i vostri amici? Sì li abbiamo salutati poco fa.

1. – Vedi spesso la televisione?
   – .... vedo quasi ogni sera.

2. – Avete fatto colazione prima di andare a scuola?
   – Sì, ... abbiamo fatta con papà.

3. – Hai ascoltato l'ultimo CD di Pavarotti?
   – Sì, ... ho ascoltato a casa di Daniela.

4. – Giovanni Pascoli ha scritto "Le operette morali"?
   – No, ... ha scritte Giacomo Leopardi.

5. – Hai provato lo yogurt con i cereali?
   – No, non .... ho ancora provato.

6. – Carla ha paura del temporale?
   – Sì, ... detesta proprio.

7. – Compri sempre la rivista "Glamour"?
   – Sì, ... compro ogni settimana.

8. – Mi dai l'indirizzo dei tuoi amici napoletani?
   – Sì, te .... do subito.

9. – Mi presti i tuoi occhiali da sole?
   – Sì, te .... presto volentieri.

10. – Porti sempre la collana?
    – Sì, ... porto sempre.

5 Sottolinea nelle seguenti frasi i pronomi personali complemento.

1. Perché non lo saluti mai?
2. C'è ancora una fetta di torta. La mangi tu?

3. È tardi! Ti porto a casa?

4. Hai preso le valigie? – Sì, le ho prese.

5. Ieri ho visto un bellissimo film. E tu lo hai visto?

6. Vuole comperare questi pantaloni, signora? – Sì, li compro!

6 Combina in modo corretto le parti delle seguenti frasi.

1. ☐ Scrivo una lettera

2. ☐ Vogliamo un caffè

3. ☐ Passo a prendere Monica

4. ☐ Mi accompagni alla stazione?

5. ☐ Sai se la lezione finisce presto?

a. e lo vogliamo adesso!

b. e l'accompagno al cinema.

c. Mi dispiace,non lo so.

d. Mi dispiace,non posso accompagnarti!

e. e la spedisco subito.

Facciamo il punto della situazione

7 Immagina di essere Ferretti e di annotare puntualmente tutti gli indizi su un'agenda. A te la penna...

Testimone: ....

Vittima: ....

Legame tra la testimone e la vittima: ....
....
....

I documenti

8 Osserva il documento qui sotto e rispondi alle seguenti domande.

La tradizione
è forte
in Terra di Siena.

Bravio delle botti, Montepulciano

1. Di quale tipo di documento si tratta?
2. Quale messaggio ti suggerisce l'immagine?
3. Che legame c'è tra l'immagine e la frase che compare sopra?

CAPITOLO 5

Chi è la donna assassinata?

A l commissariato l'aria è molto tesa. [1]
Ferretti e Giovanna chiedono a un agente
di parlare con il commissario Maccari.
Ferretti conosce da molto tempo il
commissario che li riceve immediatamente nel suo ufficio.
Una stanzetta con al soffitto una grande luce al neon, una

---

1. **l'aria è molto tesa** : (fig.) c'è molta tensione, agitazione, nervosismo.

Delitto in Piazza del Campo

scrivania di metallo e vecchie sedie di legno. Alle pareti, ci sono la foto del Presidente della Repubblica, un crocifisso e un rametto di ulivo.

Maccari è un vecchio commissario, capelli grigi, occhi spenti [1] di chi ormai non si illude più.

– Commissario, come te la passi [2] qui a Siena?

Ascolta, mi occupo, per il giornale, dell'omicidio di stanotte. Ho incontrato questa ragazza che conosceva bene la donna assassinata. Non voleva testimoniare, perché ha paura di essere coinvolta. L'ho rassicurata: le ho garantito [3] che non le succederà nulla, non è vero? –

– Se non ha fatto niente di male, non le succederà nulla. Adesso veniamo ai fatti. Come ti chiami? –

– Mi chiamo Giovanna Marras, sono un artiere ippico. [4]

---

1. **occhi spenti** : (fam.) occhi che hanno perso la luminosità e la vivacità dell'espressione.
2. **come te la passi** : (fam.) come va.
3. **le ho garantito** : le ho assicurato.
4. **artiere ippico** : chi ha cura di un cavallo da corsa.

Chi è la donna assassinata?

Sono a Siena per un lavoro stagionale. [1] Alla fine
dell'estate tornerò a casa, in Sardegna, a Bosa. –
– Conoscevi la donna assassinata? –
– Sì, ma non eravamo amiche, dividevamo la stessa
camera [2] e facevamo lo stesso lavoro nelle scuderie del
Conte Gualdi. –
– Allora, sai come si chiama la donna? –
– Cecilia Varchi, di Livorno. Sperava di essere assunta
definitivamente [3] dal Conte o in qualche altra scuderia. –
– Uno strano lavoro per delle ragazze! –
– Io non direi; se non sbaglio c'è la parità, e anzi spesso
svolgiamo il nostro lavoro meglio degli uomini. –
– Va bene, non facciamo polemiche. Ora dimmi,
Giovanna, quello che sai della notte dell'omicidio. –
– Non so niente, commissario. Sono rientrata nella mia
camera verso le dieci di sera e Cecilia non c'era. Non so
dov'era. Ognuno di noi aveva la propria vita; ogni tanto si
mangiava insieme o si beveva qualcosa ma niente di più. –
– Non ti sei accorta che non ha dormito nel suo letto? –
– Certo, ma a volte capitava. –
– Dove dormiva? –

---

1. **lavoro stagionale** : lavoro che dura solo una stagione.
2. **dividevamo la stessa camera** : vivevamo nella stessa camera.
3. **essere assunta definitivamente** : avere un lavoro fisso, stabile.

Delitto in Piazza del Campo

– Ecco, non so, forse... –

– Giovanna, devi dire tutto quello che sai al commissario, non hai nulla da temere! [1] – interrompe Ferretti.

– Cecilia andava spesso a dormire a casa del Conte! –

– Avevano una relazione? –

– Non so. –

– E tu, Giovanna? –

– No, io no! Cecilia... forse, ma non era una cattiva ragazza, non era un'arrampicatrice, [2] diceva che il Conte era una persona eccezionale, di non ascoltare le chiacchiere su di lui. Cecilia era molto discreta ed educata, ripeteva sempre di essere riconoscente al Conte, che provava dell'affetto per lui e che la sua amicizia era per lei molto importante. –

– Però tu sospettavi una relazione tra loro! –

– Sospettavo, sospettavo ... ne sentivo parlare, ma io non so se era tutto vero. –

– Dove si incontravano Cecilia e il Conte? –

– Soprattutto qui a Siena, nell'attico [3] del Conte, mai nella tenuta di San Gimignano. A San Gimignano vive la Contessa. –

---

1. **non hai nulla da temere** : non rischi niente.
2. **un'arrampicatrice** : persona ambiziosa, di modeste origini, che tenta con ogni mezzo di raggiungere una posizione sociale elevata.
3. **attico** : ultimo piano abitabile di un palazzo.

Chi è la donna assassinata?

– Stamani sei andata al lavoro? –

– Sì, dopo essere passata da Piazza del Campo. –

– Già! Perché sei passata di lì? –

– Ecco, quando Cecilia dormiva dal Conte, passavo a prenderla e andavamo insieme al lavoro. –

– Quindi sei passata davanti alla casa del Conte? –

– Sì, pensavo di trovarla là, ma non c'era nessuno. Allora, tornando indietro, sono passata dalla piazza per fare colazione e... il resto lo sapete già. –

– Al lavoro hai visto il Conte? –

– No, non l'ho visto... È stato il Conte a uccidere Cecilia? –

– Non sappiamo. –

Ferretti chiede al commissario: – Non avete ancora interrogato il Conte ? –

– No, è scomparso! –

– Scomparso? –

– L'abbiamo cercato nel suo attico e a San Gimignano, ma nessuno sa dov'è. –

– Avete trovato delle impronte [1] sul pugnale? –

– No, purtroppo l'assassino indossava dei guanti. –

– Un omicidio premeditato [2] allora. –

---

1. **impronte** : segni, tracce lasciate dalla mano su un oggetto.
2. **premeditato** : studiato, preparato prima.

Delitto in Piazza del Campo

– Sembrerebbe così –

– E il movente? [1] –

– Ancora non sappiamo. Certo, una volta confermati i sospetti sul Conte, il movente più plausibile [2] è quello della gelosia. Vi ho già detto troppo. Ora, Giovanna, non devi lasciare Siena. Lascia all'agente qui fuori il tuo indirizzo e le tue generalità. [3] Hai capito bene? –

– Sì, commissario, grazie. –

– Conosci l'indirizzo di Cecilia per avvisare la sua famiglia? –

– Ecco, commissario, Cecilia non aveva parenti: i suoi genitori sono morti cinque mesi fa. Era sola al mondo. –

– Ma Giovanna! Dici che non sai niente e poi si scopre... Vai! Vai a casa!

Un agente dovrà fare una perquisizione [4] per cercare degli indizi.

Cerca una nuova sistemazione, dobbiamo mettere sotto sequestro [5] la camera. Arrivederci. –

---

1. **il movente** : il motivo.
2. **plausibile** : logico, giusto.
3. **generalità** : nome, cognome, residenza, data di nascita.
4. **fare una perquisizione** : cercare, rovistare (per trovare cose nascoste riguardanti un reato).
5. **mettere sotto sequestro** : impedire da parte delle autorità l'ingresso in un luogo.

Comprensione

1 **Rispondi alle seguenti domande.**

    1. Con chi è Ferretti?

    2. Dove vanno?

    3. Come si chiama il commissario?

    4. Di che cosa aveva paura la ragazza?

    5. Di chi parla la ragazza?

    6. A che ora è andata in camera Giovanna?

    7. Che cosa si dice di Cecilia e del Conte?

    8. Che cosa ne pensa Giovanna?

    9. Dove vive la Contessa?

   10. Perché Giovanna è passata da Piazza del Campo?

Parole, parole, parole...

2 **Indica con una X il significato delle seguenti espressioni contenute nel testo.**

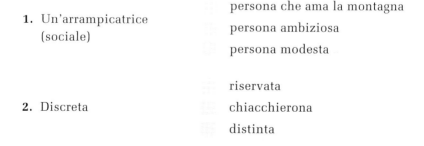

1. Un'arrampicatrice (sociale)

    persona che ama la montagna

    persona ambiziosa

    persona modesta

2. Discreta

    riservata

    chiacchierona

    distinta

3. Essere riconoscente
a qualcuno

    riconoscere qualcuno

    essere riconosciuto da qualcuno

    provare gratitudine verso
    qualcuno

4. La tenuta

    il possedimento

    il possesso

    ciò che si ha

5. Nuova sistemazione

    nuova compagna di stanza

    nuovo mestiere

    nuova abitazione

6. Sospettare

    avere fiducia

    accusare

    ritenere colpevole

Momento grammaticale

3 Volgi al passato prossimo i seguenti verbi in neretto.

1. **Scrivo** una lettera al direttore di "La Repubblica".
2. **Telefoni** a tua sorella per invitarla a teatro?
3. Luisa ha preso un cappuccino, io **prendo** un caffè ristretto.
4. **Compriamo** una macchina nuova.
5. Schumaker **vince** il Gran Premio di Imola di Formula Uno.
6. Giorgio **fa** i compiti in un'ora.
7. Maria **parte**, ha preso la valigia.
8. **Esco** alle otto e **rientro** alle due del pomeriggio.
9. **Leggi** le pagine dello sport?
10. Silvana **chiede** informazioni per andare alla stazione.

Facciamo il punto della situazione

4 Immagina di essere Ferretti e di annotare puntualmente tutti gli indizi su un'agenda. A te la penna...

La vittima: ....

Alloggio abituale: ....

Alloggio occasionale: ....

Tipo di vita: ....

Mestiere: ....

Speranze: ....

Opinione sul Conte: ....
....

Carattere della vittima secondo Giovanna: ....
....

Abitazione del Conte: ....

Abitazione della Contessa: ....

Tipo di omicidio: ....

Movente: ....
....

5 Ora prova a formulare delle ipotesi.

1. Perché il Conte è scomparso?
2. Dove è finito?
3. Perché il commissario dice a Giovanna: "Dici che non sai niente e poi si scopre...". Prova a terminare tu la sua frase.

San Gimignano,
la città delle torri

San Gimignano,
esempio immutato di città medievale.

San Gimignano è un magnifico esempio di città medievale. Costruita su un colle ricco di ulivi e di viti, domina uno splendido paesaggio naturale e da lontano appare come una corona di mura e torri che domina sulla cima di una collina.

Nel Medioevo la città era sede di un rinomato mercato; si trovava infatti sul percorso che portava i pellegrini dal nord Europa a Roma.

Delle 76 torri originarie, erette dall'aristocrazia

locale, oggi ne restano 14, la più antica delle quali è del XIII sec.
Queste torri, tutte senza finestre, erano fortezze private, simbolo della ricchezza dei loro proprietari.

La torre del Palazzo del Podestà, detta la Rognosa, è alta 51 m. ed è una delle più antiche della città. Una legge del 1255 vietava di costruire una torre più alta, ma la regola non era sempre rispettata dalle famiglie rivali tra loro. La famosa peste del 1348 e i nuovi percorsi utilizzati dai pellegrini erano, però, l'inizio del declino economico della città.

Ricca di opere d'arte e di storia, San Gimignano è oggi meta di migliaia di turisti.

Veduta di San Gimignano con le sue tipiche torri.

Un dubbio si insinua

P rima di tornare in albergo Ferretti prende un aperitivo in un caffè vicino al palazzo dove il Conte Gualdi possiede l'attico. Nel locale non si sente parlare che del Conte. Tutti lo conoscono: fa sempre colazione qui e spesso si fa servire a casa. Anche i suoi collaboratori e domestici sono clienti e come ogni sera il suo maggiordomo sorseggia [1] un caffè al bancone.

---

1. **sorseggia** : beve a piccoli sorsi.

Un dubbio si insinua

Ferretti lo conosce abbastanza bene: – Ciao, Carlo, come va? –

– Oh, non saprei, signor Paolo, è tutto il giorno che la polizia mi interroga, ma io non so niente. Non vedo il Conte da ieri sera. Sono preoccupato, ma non credo che il Conte... Non riesco neanche a pronunciare quella parola. Quella povera ragazza la conoscevo, veniva spesso a trovarlo. Erano diventati amici... –

– Carlo, avevi mai visto quel pugnale? –

– Certamente, era in uno stipetto [1] in camera del Conte, ma lui non l'ha mai usato e il sangue lo disgusta. –

– Che rapporto c'era tra il Conte e quella ragazza? –

– Lui la trattava quasi come una figlia, si vedevano spesso, e non solo perché la ragazza lavorava alle scuderie. –

– Ora, Carlo, ho sentito delle voci sul Conte e la sua passione per le donne; dimmi la verità. È proprio così? –

– Sì e no. Il Conte ha un debole per il gentil sesso, ma non credo a una relazione con quella ragazza; li ho visti spesso insieme e il loro non sembrava un rapporto sentimentale. –

– Sì, ma la ragazza dormiva spesso a casa sua! –

---

1. **stipetto** : piccolo mobile antico, di solito usato per conservare oggetti di valore.

Delitto in Piazza del Campo

– È vero, ma non nella stessa stanza! Preparavo personalmente la camera degli ospiti e la mattina trovavo regolarmente i letti disfatti. –

   – La moglie del Conte era al corrente di questa amicizia? –

   – La Contessa conosceva la ragazza. Un paio di volte hanno anche cenato tutti insieme. –

   – La Contessa vive sola nella tenuta di San Gimignano? –

   – Sì, tra il Conte e la Contessa non c'è amore. Non hanno figli e si fanno vedere insieme in pubblico solo nelle occasioni ufficiali. [1] La Contessa non è molto simpatica agli amici del Conte. Non è d'origine nobile. Prima di diventare la Contessa Gualdi era la segretaria della vecchia madre del Conte e quando lei è morta è rimasta alla tenuta; dopo qualche mese il Conte l'ha sposata. Non si è mai capito il perché: forse il Conte ne era infatuato [2] ma lei no. Lei lo ha sposato per la sua posizione sociale. Il Conte si è trasferito quasi subito nell'attico qui a Siena. –

   – Bene, Carlo, grazie delle informazioni e arrivederci. –

---

1. **occasioni ufficiali** : avvenimenti formali quali cerimonie, ecc.
2. **infatuato** : innamorato.

Comprensione

1 Leggi con attenzione il testo e indica se le seguenti affermazioni sono vere (V) o false (F).

                                          V   F

1. Ferretti prende un digestivo in un bar vicino al palazzo dove abita il Conte Gualdi.

2. Il Conte fa sempre colazione in quel bar.

3. Il maggiordomo del Conte sta bevendo al bancone.

4. Il maggiordomo non conosceva la ragazza assassinata.

5. Il maggiordomo teme che il Conte sia il colpevole.

6. Il Conte è un dongiovanni.

7. La Contessa conosceva la ragazza assassinata.

8. Il Conte e la Contessa vivono insieme.

9. Il Conte e la Contessa non vanno d'accordo.

10. Anche se non è nobile di origine, la Contessa piace molto agli amici del Conte.

Parole, parole, parole...

2 Indica con una ✗ l'esatta definizione delle seguenti espressioni contenute nel testo.

1. Essere al corrente

    lavorare in banca
    essere informato
    lavorare all'ENEL

2. Avere un debole per qualcuno

    essere debole con qualcuno
    amare qualcuno
    non avere carattere

3. Letti disfatti

    letti intatti
    letti distrutti
    letti in cui qualcuno ha dormito

Momento grammaticale

3 Vuoi saperne di più sul passato di Ferretti? Leggi il seguente testo e completalo con i verbi elencati qui sotto. Attenzione! Devi usarli all'imperfetto.

> portare   amare   avere   scrivere
> tenere   indossare   avere   pesare   essere
> frequentare   avere   essere

A scuola Ferretti non .... uno studente particolarmente brillante, ma ha sempre avuto il pallino per il giornalismo.
Anche quando .... il corso di giornalismo

.... molto alla sua immagine e .... le
belle donne con le quali .... molto successo. Certo,
allora non .... 120 chili, ma soltanto 80. Poi si sa,
con il passare degli anni e l'amore per la buona cucina, aveva
incominciato ad appesantirsi.

Fin da giovanissimo .... articoli di costume per
quotidiani locali minori. Quand'........................ alle prime armi
certo era più difficile partecipare a ricevimenti e incontri
mondani.

All'epoca .... sempre un foulard annodato intorno al
collo e un gilet di camoscio. Allora .... una bella
capigliatura e non .... il cappello, ma ....
già una passione per i profumi.

Facciamo il punto della situazione

4 Immagina di essere Ferretti e di annotare puntualmente tutti gli
indizi su un'agenda. A te la penna...

Nuovo personaggio interrogato: ....
....

Pugnale: ....
....

Informazioni sul Conte: ....
....

Informazioni sul Conte e Cecilia: ....
....

Informazioni sulla Contessa: ....
....

Le indagini proseguono

n serata Ferretti invia l'articolo al giornale ed esce per andare al ristorante.

Lungo la strada continua a ripensare alla misteriosa scomparsa del Conte e se davvero ha commesso un crimine così efferato. [1] Perché rovinarsi la vita per una ragazza?

Al ristorante Ferretti si siede al tavolo come un automa [2]

---

1. **crimine così efferato** : azione caratterizzata da crudeltà e ferocia inumana.
2. **un automa** : chi agisce, si muove in modo meccanico, senza rendersi conto dei propri gesti.

Le indagini proseguono

e quando il cameriere si avvicina per prendere
l'ordinazione ha quasi un sussulto. [1] Mangia con
incredibile voracità, [2] ma sembra non gustare nulla. Il caso
del Conte Gualdi lo interessa molto; così prende
appunti mangiando: dovrà verificare alcune
 informazioni. Per prima cosa programma
una visita per l'indomani alla tenuta del
Conte a San Gimignano, una al
commissario Maccari per informarsi
sull'ora del delitto e infine una alle
scuderie per parlare con i
dipendenti del Conte.

    Come andare a San Gimignano?

    Di solito Ferretti non guida, ha
la patente, ma preferisce spostarsi
in taxi, treno o aereo. Decide, in questo caso, di affittare
un'auto per essere più libero negli spostamenti.

    Tornato in albergo chiede al portiere di prenotargli una
vettura piuttosto spaziosa [3] e di svegliarlo l'indomani alle
otto.

---

1. **sussulto** : sobbalzo.
2. **voracità** : grande appetito, avidità di cibo.
3. **spaziosa** : con tanto spazio, grande, comoda.

Scrittura

1 Hai letto attentamente il capitolo? Allora immagina di essere Ferretti e compila la tua agenda.

Mercoledì

12

8	
8.30 ✓	
9	
9.30	
10	
10.30	
11 ✓	
11.30	
12	
12.30	
13	
13.30 ✓	
14	
14.30	
15	
15.30	

2 Mettiti nei panni di Ferretti e scrivi un articolo per il giornale.

....

....

....

....

....

....

....

....

....

....

Caccia alle parole

 3 Ascolta attentamente la cassetta e sottolinea gli errori contenuti nel testo qui sotto.

In nottata Ferretti manda l'articolo al quotidiano ed esce per recarsi in trattoria.

Lungo il cammino continua a chiedersi dov'è il Conte e se davvero ha commesso un gesto così feroce. Perché rovinarsi la vita per una ragazza?

In trattoria Ferretti si accomoda al tavolo come una macchina e quando il cameriere si avvicina per prendere l'ordinazione fa quasi un salto. Mangia con incredibile appetito, ma sembra non gradire nulla. Il caso del Conte Gualdi lo preoccupa molto; così prende appunti mangiando: dovrà verificare qualche informazione.

CAPITOLO 8

Gita in campagna

Sono le otto quando lo squillo insistente del telefono sveglia Ferretti.

Si alza e si prepara con tutta calma per la gita a San Gimignano. Nell'atrio [1] dell'albergo il portiere lo accoglie con un sorrisino e gli porge le chiavi di un'utilitaria. [2]

– Mi dispiace, è l'unica macchina disponibile. In agosto Siena è piena di turisti. –

---

1. **atrio** : ingresso.
2. **utilitaria** : piccola automobile economica.

Gita in campagna

– Va bene, spero solo di riuscire a salire! –

La scena di Ferretti che si siede in macchina è indescrivibile. Il portiere fatica a trattenere le risate, poi lo vede partire zigzagando [1] un po'.

Lungo tutto il tragitto non riesce a pensare a nulla, è troppo concentrato sulla guida. Il suo viso è imperlato di sudore, [2] le sue mani sembrano incollate al volante, ma finalmente arriva alla tenuta del Conte.

Davanti alla residenza padronale, una vecchia casa colonica molto ben conservata, è parcheggiata un'auto della polizia.

Ferretti scende faticosamente dall'auto, si tampona [3] il viso e la fronte con un fazzoletto, si avvicina all'ingresso e suona il campanello.

Porge quindi il suo biglietto da visita al maggiordomo che gli ha aperto la porta.

Dopo qualche minuto, il maggiordomo lo fa accomodare in una sala in cui si trovano la Contessa e il commissario Maccari che sorride a Ferretti: – Caro Ferretti, mi aspettavo di incontrarti ancora. –

– Quando ho visto la macchina della polizia nel

---

1. **zigzagando** : procedendo a zig zag, con continui mutamenti di direzione.
2. **imperlato di sudore** : coperto di goccioline di sudore, simili a perle.
3. **si tampona** : si asciuga.

Delitto in Piazza del Campo

parcheggio, ho immaginato che c'eri anche tu. Benissimo, prenderò due piccioni con una fava![1] Cara Contessa Gualdi, come va? –

– Ferretti, sono contenta di vederti, apprezzo molto i tuoi articoli! Sei qui per via di questa brutta storia. È così? –

– Sì, ci sono notizie del Conte? –

– Come dicevo al commissario Maccari, non vedo mio marito da giorni, ci siamo parlati al telefono la sera del delitto intorno alle venti: mi sembrava tranquillo, voleva venire qui per il fine settimana, ma poi non si è visto. Non so cosa dire, non conosco i suoi spostamenti e francamente non mi interessano; ognuno di noi ha la sua vita. –

– Conoscevi la ragazza assassinata? –

– Vagamente. –

– Il maggiordomo di tuo marito mi ha detto che avete cenato insieme almeno un paio di volte! –

– Cosa vuoi, ceno con tante persone, ma certo non le conosco tutte. Sono conoscenze superficiali. È vero, abbiamo cenato insieme, ma con una ragazza del genere non ho certo approfondito la conoscenza! –

– Cosa intendi, quando dici "una ragazza del genere?" –

---

1. **prenderò due piccioni con una fava** : (fam.) otterrò due vantaggi in una sola volta.

Gita in campagna

– Sì, insomma, una ragazza che non ha classe e che fa un lavoro così... maschile. –

– Non ti piaceva! –

– Non la consideravo una minaccia. Presto sarebbe stata solo un vago ricordo. –

– Ma il Conte era innamorato di lei? –

– Devo proprio continuare a parlare di lui? –

– Un'ultima domanda. Cosa pensi dell'omicidio? È stato tuo marito? E lui dov'è adesso? Cosa ci puoi dire del pugnale? Confermi che appartiene alla Famiglia Gualdi? –

– Il pugnale è un oggetto antichissimo e appartiene da sempre alla famiglia, ma Gualtiero lo conserva nel suo attico a Siena, è molto geloso degli oggetti di famiglia e certo non li presta facilmente a qualcuno. Vi ho già detto che non so dov'è mio marito. Non sono io a dover dire se Gualtiero è l'assassino, ma ci sono degli indizi a suo carico, [1] giusto? Probabilmente, ovunque si trova, è disperato e vittima del rimorso. È un uomo impulsivo, che prima agisce e poi pensa. Evidentemente non aveva intenzione di uccidere la ragazza, forse lei voleva approfittare della sua ricchezza e lui ha perso la testa. [2] –

---

1. **indizi a suo carico** : prove contro di lui.
2. **ha perso la testa** : non è stato in grado di controllare le proprie azioni o i propri sentimenti.

Delitto in Piazza del Campo

Il commissario Maccari ha ascoltato molto attentamente la Contessa che conclude: – Commissario, spero di essere stata di aiuto nelle indagini; se mio marito si metterà in contatto con me vi avviserò subito! –

– Molto gentile, è importante per noi ritrovare il Conte. La sua assenza aggrava [1] la sua posizione. Arrivederci e grazie. –

Nel parcheggio Ferretti e il commissario decidono di pranzare insieme da "Nello la Taverna".

Il locale è un ambiente piccolo con una trentina di coperti: [2] fortunatamente Ferretti e il commissario riescono a trovare un tavolo per due in un angolo.

– Una vera fortuna in questo periodo dell'anno. Potremo chiacchierare indisturbati. –

– Certo, Ferretti, a proposito, cosa pensi della Contessa? –

– Mi sembra una donna molto scaltra [3] e per nulla preoccupata della sorte del marito, ma ora pensiamo al nostro pranzo. –

Parlano del più e del meno, poi Ferretti torna sull'argomento che gli sta più a cuore. [4]

---

1. **aggrava** : peggiora, rende più delicata.
2. **coperti** : posti a tavola.
3. **scaltra** : astuta, furba.
4. **sta più a cuore** : (fig.) lo interessa maggiormente.

Gita in campagna

– Caro Maccari, è una brutta faccenda. Finché il Conte non si trova, non si saprà la verità. –

– Sì, la testimonianza del Conte è fondamentale. –

– Nel pomeriggio passerò alle scuderie. Desidero parlare con il direttore per avere notizie della vittima; mi puoi accompagnare? –

– No, non posso, devo andare al commissariato per la relazione sull'autopsia,[1] ma telefonami. –

– Mi puoi dire l'ora della morte della povera Cecilia? –

– Intorno alle tre del mattino. –

Il commissario Maccari mangia lentamente, sorseggiando un bicchiere di Vernaccia; Ferretti, invece, mangia con voracità, come sempre.

Alla fine Ferretti insiste per pagare il conto e poi ognuno va per la propria strada.

---

1. **autopsia** : indagine sui cadaveri per capire la causa della morte.

Comprensione

1 **Leggi attentamente il capitolo e indica le affermazioni esatte.**

1. Davanti alla tenuta del Conte è parcheggiato/a
   - un'auto sportiva
   - la macchina della polizia
   - un camion

2. Ferretti prende un fazzoletto, perché
   - è raffreddato
   - è sudato
   - ha le lacrime

3. Ferretti
   - chiede di parlare con il Conte
   - si presenta al maggiordomo
   - dà il suo biglietto da visita al maggiordomo

4. La Contessa riceve Ferretti
   - in camera da letto
   - in sala
   - nello studio

2 **Ricordi che cosa dice la Contessa? Prova a rispondere alle seguenti domande.**

1. Quando ha parlato con il marito la Contessa?
2. Come le è sembrato il Conte?
3. Che tipo di rapporto c'era tra i due?
4. Che cosa dice la Contessa dell'arma del delitto?
5. Cosa pensa la Contessa dell'assassino?
6. Come descrive il carattere del Conte?
7. Che cosa dice la Contessa della ragazza assassinata?

Parole, parole, parole...

3 Indica con una ✗ l'esatta definizione di ciascuna parola o espressione contenuta nel capitolo.

	disturbati
1. Indisturbati	non disturbati
	molto infastiditi
	traiettoria
2. Tragitto	trafitto
	percorso
	migliora
3. Aggrava	rende meno grave
	peggiora

Momento grammaticale

4 Completa le frasi con i seguenti avverbi:

felicemente   fortunatamente
semplicemente   sicuramente   finalmente

1. .... Luisa è partita per le vacanze.

2. Ci vedremo .... all'appuntamento annuale dei soci.

3. .... Piero non ha perso il treno per Roma.

4. Questo film è .... fantastico.

5. La loro storia si è conclusa ....

Scrittura e discussione

5 Rispondi alle seguenti domande.

1. Perché la Contessa viene definita "scaltra"?
2. La Contessa fa delle affermazioni piuttosto pesanti, perché?
3. Perché non presentandosi alla polizia, il Conte aggrava la propria posizione?
4. Esistono, secondo te, dei lavori prettamente maschili e altri tipicamente femminili? Se sì, quali?

Caccia alle parole

 6 Ascolta attentamente la cassetta e sottolinea le parole inesatte.

Sono le nove quando lo squillo insistente della suoneria sveglia Ferretti. Si veste e si prepara per la passeggiata a San Gimignano. Nella hall dell'hotel il portinaio lo accoglie con un sorrisino e gli dà le chiavi di un'automobile.

– Mi rincresce, è l'unica macchina disponibile. A luglio Siena è piena di stranieri. –

– D'accordo, mi auguro solo di riuscire a salire! –

La scena di Ferretti che sale in macchina è irresistibile. Il portinaio non riesce a trattenere le lacrime, poi Ferretti parte zigzagando un po'.

Lungo tutto il percorso non riesce a pensare a niente, è troppo concentrato sulla strada. Il suo viso è tutto sudato, le sue mani sono attaccate al volante, ma finalmente arriva al casale del Conte.

7 Ora riascolta la cassetta e prova a correggere le parole che hai sottolineato.

I documenti

8 Osserva il documento qui sotto e rispondi alle seguenti domande.

RISTORANTE

NELLO LA TAVERNA

A SIENA DAL 1930

VIA DEL PORRIONE, 28 - TEL. 0577/289043

1. Di che tipo di documento si tratta?
2. A che cosa si riferisce?
3. A quale fatto si riferisce l'immagine?
4. Di quante frasi si compone il testo scritto? Spiegale.
5. Che tipo di cucina pensi di trovare in questo locale?

Uno strano invito a cena

I ntorno alle quattro del pomeriggio, Ferretti arriva alle scuderie Gualdi dove incontra Aldo Forni, il direttore delle scuderie. È un uomo sulla trentina, molto alto e sicuro di sé. Quando vede Ferretti, lo apostrofa [1] scherzosamente, dicendogli che non dispongono di elefanti.

Ferretti non reagisce. È stato sempre preso in giro [2] e inizia a parlare senza perdersi d'animo. [3]

---

1. **lo apostrofa** : lo assale, lo investe a parole.
2. **preso in giro** : deriso.
3. **perdersi d'animo** : scoraggiarsi, perdere coraggio.

Uno strano invito a cena

– Non sono qui per andare a cavallo. Mi chiamo Ferretti
e sono un giornalista, indago sull'omicidio di Cecilia, so
che lavorava qui. –

– È vero, lavorava qui, ma a me non piaceva. Speravo di
poterla licenziare [1] subito, ma era la pupilla [2] del Conte... –

– Chi l'ha uccisa? –

– Lo sanno tutti! Il Conte. Prima o poi doveva succedere.
È un uomo che ama molto le donne e per questo assume
ogni anno ragazze diverse. Poi, finita la stagione, le
licenzia. Ora la povera Contessa dovrà subire questa
vergogna e tutta la "baracca" [3] sarà sulle sue spalle. –

– Perché? Anche se il Conte verrà condannato, potrà
gestire i suoi affari dal carcere. –

– Al posto suo, io toglierei il disturbo... la farei finita! [4]
Ma mi scusi, adesso devo occuparmi del mio lavoro, non
ho tempo da perdere: qui la vita continua. –

Così dicendo, il direttore si allontana, quindi estrae
dalla giacca un portatile e compone un numero di telefono.

Ferretti lo osserva, non può capire cosa dice, ma la
telefonata gli sembra piuttosto concitata. [5]

---

1. **licenziare** : interrompere un rapporto di lavoro, mandar via.
2. **pupilla** : persona prediletta, preferita (da qualcuno).
3. **baracca** : (fig.) insieme di una famiglia o impresa con relativi problemi.
4. **toglierei il disturbo... la farei finita** : mi suiciderei.
5. **concitata** : agitata.

Delitto in Piazza del Campo

Per Ferretti l'intervista finisce qui, non gli resta che
tornare in albergo e dedicarsi al prossimo articolo.

In albergo riceve un messaggio della Contessa Gualdi. È
un invito a pranzo per il giorno successivo.

Ferretti rimane molto sorpreso e chiama il commissario
Maccari. Racconta l'incontro con il direttore delle scuderie
e commenta: – Piuttosto strano, non ti pare? Secondo me il
direttore sa qualcosa. Ah! Dimenticavo: la Contessa mi ha
invitato a pranzo domani. Perché?

E poi il direttore ha parlato molto bene della Contessa,
l'ha descritta come una vedova sulle cui spalle cade tutto il
disonore del marito. Forse c'è qualcosa tra il direttore e la
Contessa. Domani ti racconterò.

A proposito, cosa hai saputo dall'autopsia? –

– Niente di particolare. La povera Cecilia è morta sul
colpo per una ferita al petto intorno alle tre del mattino.
Sul corpo non ci sono tracce di colluttazione,[1] non ci sono
frammenti [2] di stoffa o capelli. Niente di niente. Invece,
oggi pomeriggio abbiamo ritrovato i vestiti che la ragazza
indossava il giorno in cui è morta. Indovina un po', erano
nell'attico del Conte! Però mi domando: se era a casa del
Conte, perché, quando sono usciti, la ragazza era nuda? In
questa faccenda c'è qualcosa che non capisco. –

---

1. **colluttazione** : lotta.
2. **frammenti** : piccole parti di qualcosa.

Uno strano invito a cena

– Mio caro commissario, questa faccenda è davvero complicata. Comincio ad avere dei dubbi sulla colpevolezza di Gualdi, anzi temo per la sua vita: sembra scomparso nel nulla. Cosa succede se il Conte viene ritrovato morto? Chi ci guadagna dall'omicidio di Cecilia e dalla scomparsa di Gualdi? –

– ...La Contessa! Ferretti, mi raccomando, domani fai molta attenzione! –

– Saprò tenere a bada [1] la Contessa e spero di poter scoprire qualcosa di importante. Ci sentiamo; a domani. –

---

1. **tenere a bada** : controllare.

Comprensione

1 Leggi con attenzione il testo e indica se le seguenti affermazioni sono vere (V) o false (F).

		V	F
1.	Ferretti incontra il direttore delle scuderie.		
2.	Forni afferma che Cecilia gli piaceva molto.		
3.	Forni non ha il tempo di parlare con Ferretti e torna subito al lavoro.		
4.	Forni entra in casa del Conte per fare una telefonata.		
5.	Prima di rientrare in albergo, Ferretti telefona al commissario.		
6.	In albergo Ferretti riceve una telefonata dalla Contessa.		
7.	La Contessa invita Ferretti a pranzo per l'indomani.		
8.	Forni stima molto la Contessa.		
9.	Ferretti teme per la vita del Conte.		
10.	Ferretti crede che il Conte sia il colpevole del delitto.		

Parole, parole, parole...

2 Indica con una X il significato delle seguenti parole ed espressioni presenti nel capitolo.

1. Essere sulle spalle di qualcuno
   - portare in spalla qualcuno
   - pesare sulle spalle di qualcuno
   - nascondere dietro le spalle

2. Licenziare
   - interrompere un rapporto di lavoro
   - offrire un lavoro
   - concedere una licenza

scoraggiarsi
3. Perdersi d'animo   dannarsi
                          morire

Momento grammaticale

3 **Completa le seguenti frasi con i verbi servili potere, dovere e volere al presente indicativo.**

1. .... un caffè? No, grazie. Oggi ne ho già presi quattro.

2. – .... fare i compiti prima di uscire.
   – Non ...., ho un appuntamento con gli amici alle due.

3. Se .... vincere la gara, ... allenarti con maggior impegno.

4. Ti piace il cioccolato? Sì, ma non .... mangiarlo. Sono a dieta.

5. Anna .... iscriversi all'università, ma non sa quale corso di laurea scegliere.

6. .... dire la verità. Sei stato tu a prendere il libro della biblioteca?

7. Se .... iscriverti al concorso, devi pagare una tassa di £ 64.000.

8. – Hai studiato la tua parte a memoria?
   – Non tutta. .... ancora imparare la terza scena.

9. – .... andare tu a prendere Marco all'aeroporto?
   – No, farò tardi; ho una riunione importante in ufficio.

10. Filippo non .... partecipare alla festa, perché ha un forte mal di denti.

Scrittura e discussione

4 **Hai fiuto? Prova a rispondere alle domande che Ferretti rivolge al commissario.**

1. Perché gli abiti di Cecilia sono stati trovati a casa del Conte e perché indossava solo un impermeabile?
2. Cosa succede se il Conte viene trovato morto?
3. Chi ci guadagna dall'omicidio di Cecilia e dalla scomparsa di Gualdi?
4. Il Conte Gualdi è colpevole dell'omicidio?
5. Altrimenti chi è il vero colpevole e perché?

Facciamo il punto della situazione

5 **Immagina di essere Ferretti e di annotare puntualmente tutti gli indizi su un'agenda. A te la penna...**

Aldo Forni:

– descrizione del carattere: ....

....

– sua opinione riguardo al Conte: ....

....

– sua opinione riguardo alla Contessa: ....

....

Assassinio di Cecilia (orario/modalità/luogo/vestiti): ....

....

....

....

CAPITOLO 10

Che sorpresa!

L a mattinata di Ferretti trascorre velocemente. Arriva alla tenuta Gualdi con un po' di anticipo e la Contessa lo accoglie calorosamente: – Mio caro, sono così contenta di vederti. Cosa ne dici, vuoi visitare le mie cantine? So che sei un intenditore [1] di vini e di cibo. Rimarrai incantato. [2] –

---

1. **un intenditore** : persona che se ne intende, conoscitore.
2. **incantato** : stupito, sorpreso.

Delitto in Piazza del Campo

– Con vero piacere, ma come mai sei venuta tu ad aprire la porta? –

– Ho mandato la servitù nell'attico di Siena, sai la polizia ha messo tutto in disordine e il maggiordomo di mio marito non può certo fare tutto da solo. –

Le cantine della tenuta sono molto grandi e vi sono conservate numerosissime bottiglie di vino di ogni tipo.

La Contessa si rivela un'ottima esperta di vini.

Arrivati in una parte molto antica con le volte [1] molto basse, la donna mostra a Ferretti delle bottiglie da collezione molto vecchie e impolverate.

Ferretti ascolta la Contessa con interesse, ma intanto si guarda intorno e gli frulla un'idea in testa: [2] ecco un ottimo nascondiglio.

– Bene, ora possiamo tornare in sala da pranzo. Mi sono permessa di invitare il direttore delle scuderie, il signor Aldo Forni. Dopo pranzo dobbiamo discutere della vendita di alcuni cavalli. Non ti dispiace, vero? –

– No, niente affatto. –

Il direttore delle scuderie è già in sala da pranzo, fuma un sigaro guardando annoiato fuori dalla finestra.

---

1. **volte** :

2. **gli frulla un'idea in testa** : (fig.) ha in mente qualcosa.

Che sorpresa!

Secondo Ferretti l'uomo si comporta come il padrone di casa.

Il pranzo viene servito personalmente dalla Contessa.

A tavola la conversazione rimane molto sul vago. [1] Aldo Forni sembra a disagio [2] e anche la Contessa appare nervosa.

Alla fine del pranzo, con la scusa di andare al bagno, Ferretti si allontana dalla sala e torna nelle cantine.

– Voglio dare un'occhiata in giro, [3] qualcosa mi dice che la soluzione del caso si trova da queste parti. – pensa tra sé e sé.

Ferretti attraversa ogni stanza, guardandosi intorno senza notare niente di strano e pensa: – Forse la mia ipotesi è sbagliata! –

Sta per tornare di sopra, quando qualcosa di insolito attira la sua attenzione.

In fondo a una parete c'è una scaffalatura [4] con qualcosa di diverso dalle altre.

È pulita e anche le bottiglie sono senza un filo di polvere, [5] mentre ci sono polvere e ragnatele dappertutto.

---

1. **sul vago** : non tocca argomenti particolari.
2. **sembra a disagio** : non sembra tranquillo.
3. **dare un'occhiata in giro** : guardarsi intorno.
4. **scaffalatura** : serie di ripiani che compongono un mobile.
5. **senza un filo di polvere** : pulite.

Delitto in Piazza del Campo

Ferretti cerca di prenderne una, ma sono incollate ai
ripiani e non contengono vino. Spinge da un lato la
scaffalatura e si accorge che nasconde una porta. La apre e
vede il Conte Gualdi seduto su una branda [1] con le mani e i
piedi legati; una debole luce illumina la stanzetta umida e
fredda.

– Mio Dio! – esclama Ferretti – Conte! Cos'è successo,
perché è legato? –

– Lei chi è! È della polizia? È venuto per salvarmi? –

– Sono un giornalista, adesso la libero, poi mi
racconterà tutto! –

– Mia moglie dov'è? E Aldo? Sono già stati arrestati? –

– Mi dispiace, ma da qui non esce nessuno! – Ferretti si
gira; dietro di lui ci sono la Contessa e Aldo Forni che
impugna una pistola.

– Ferretti sei un ficcanaso [2] e pagherai con la vita la tua
curiosità! – Aldo Forni ha un atteggiamento molto
minaccioso.

– Così siete stati voi a organizzare tutto, ma perché? –
Ferretti vuole prendere tempo [3] e così fa un sacco di
domande; a rispondere ci pensa il Conte:

---

1. **seduto su una branda** : seduto su un lettino pieghevole.
2. **ficcanaso** : (fam.) persona indiscreta che si intromette in cose che non la
   riguardano.
3. **prendere tempo** : aspettare.

Delitto in Piazza del Campo

– Quella giovane, Cecilia, era mia figlia illegittima. [1]
Molti anni fa ho avuto una relazione con una donna
sposata di Livorno. È nata una bambina che non ho potuto
riconoscere, perché la madre me lo ha impedito. Io, però,
ho sempre avuto sue notizie e quando, cinque mesi fa, i
suoi genitori sono morti, le ho telefonato, poi l'ho
incontrata e le ho rivelato la verità sulla sua nascita. Sul
principio si è arrabbiata, ma poi ha cominciato a
comprendere e a perdonare. Con il tempo speravo di
poterla riconoscere: [2] volevo fare testamento in suo favore e
lasciarle tutto ciò che possiedo. Ho informato mia moglie,
per evitarle di scoprirlo alla mia morte. Volevo creare
quella famiglia che non abbiamo mai avuto, ma lei si è
molto arrabbiata e insieme ad Aldo, il suo amante, ha
tramato l'assassinio [3] di mia figlia, poi mi ha drogato e
trascinato in questa cantina. Intendeva uccidermi e ha
costruito degli indizi [4] contro di me per spiegare il mio
presunto suicidio. [5] Così, come unica erede dei miei beni,
poteva dividerli con il suo amico. In questo modo nessuno

---

1. **figlia illegittima** : non riconosciuta legalmente da uno o da entrambi i
   genitori.
2. **riconoscere** : (qui) dare il proprio cognome a un figlio naturale.
3. **ha tramato l'assassinio** : ha organizzato segretamente l'uccisione.
4. **indizi** : segni, tracce.
5. **presunto suicidio** : ipotetico suicidio.

Che sorpresa!

poteva scoprire l'esistenza di mia figlia. –

– Ma sono arrivato io e ora devono eliminare anche me.
Come pensate di giustificare la mia morte? –

– Ancora non sappiamo! – controbatte il direttore.

– E adesso, Ferretti, farai compagnia a mio marito! –
La Contessa non sembra turbata, [1] è fredda e calcolatrice.

Ormai Ferretti è legato e, anche se non lo vuole
ammettere, pensa di essere arrivato alla fine dei suoi
giorni. La porta si sta chiudendo dietro i prigionieri,
quando all'improvviso si sentono delle urla e un colpo di
pistola. La porta si riapre ed entra trionfalmente il
commissario Maccari:

– Ferretti, come ti hanno legato, sembri un salame! –

– Non sono mai stato così contento di vederti, slegami
per favore. Il Conte è innocente, sua moglie e il suo amante
sono gli assassini di Cecilia. Cecilia era la figlia segreta del
Conte. Ma dimmi, perché sei venuto qui? Come hai fatto a
capire che ero in pericolo? –

– Per caso, volevo parlare con il direttore delle scuderie
e quando mi hanno detto che si trovava a casa della
Contessa, ho avuto un presentimento [2] e sono venuto qui
con i miei uomini. –

---

1. **turbata** : agitata.
2. **presentimento** : sensazione anticipata e confusa, vago presagio.

Delitto in Piazza del Campo

– Benedetto quel presentimento! Ora bisognerà chiamare un'ambulanza, il Conte è piuttosto malconcio. [1] –

Qualche attimo dopo essere rientrato in albergo per farsi un bagno caldo, squilla il telefono

– ... Capo, ti è piaciuto l'articolo? Sì, me la sono vista brutta, [2] ma il commissario Maccari mi ha salvato la vita.

No, non ho bisogno di prendermi qualche giorno di ferie, [3] sto benissimo. Tra l'altro devo fare la cronaca del Palio. Cosa hai detto? Vuoi assegnarmi [4] la cronaca nera? Ci penserò, a patto di poter continuare a scrivere gli articoli sul Palio. Io adoro la cucina senese! –

---

1. **malconcio** : in cattive condizioni.
2. **me la sono vista brutta** : (fam.) ho avuto paura.
3. **ferie** : periodo di riposo, di vacanza.
4. **assegnarmi** : affidarmi, darmi definitivamente.

Parole, parole, parole...

1 Indica con una ✗ il significato delle seguenti parole o espressioni contenute nel capitolo.

1. Arrivare in anticipo

   arrivare tardi
   arrivare prima dell'orario
   arrivare in orario

2. Senza un filo di polvere

   perfettamente pulito
   con un po' di polvere
   appena impolverato

3. A patto di

   al posto di
   pur di non
   a condizione di

4. Soluzione

   difficoltà
   impedimento
   spiegazione

Scrittura

2 Immagina le battute del direttore del giornale e completa il seguente dialogo.

Ferretti: Capo, ti è piaciuto l'articolo?

Direttore: ....

F.: Sì, me la sono vista brutta, ma il commissario Maccari mi ha salvato la vita.

Dir.: ....

F.: No, non ho bisogno di prendermi qualche giorno di ferie, sto benissimo. Tra l'altro devo fare la cronaca del Palio. Cos'hai detto?

Dir.: ....

F.: Vuoi assegnarmi la cronaca nera?

Dir.: ....

F.: Ci penserò, a patto di poter continuare a scrivere gli articoli sul Palio. Io adoro la cucina senese!

Dir.: ....

F.: ....

Dir.: ....

Mettiamo in ordine i fatti

3 **Ecco il riassunto della giornata. Purtroppo le frasi si sono mescolate. Prova a rimetterle in ordine.**

a ☐ La Contessa fa visitare le cantine di casa a Ferretti.

b ☐ La Contessa serve direttamente il pranzo che ha cucinato.

c ☐ Ferretti trova una porta segreta dietro una scaffalatura finta.

d ☐ Il Conte Gualdi è seduto su una branda con le mani e i piedi legati.

e ☐ Ferretti arriva alla tenuta in anticipo.

f ☐ In sala da pranzo Ferretti trova Aldo Forni che fuma il sigaro e si comporta da padrone.

g ☐ Improvvisamente irrompe nella stanza il Commissario.

h ☐ La Contessa apre personalmente la porta a Ferretti.

i ☐ Ferretti finge di andare in bagno per tornare nelle cantine.

l ☐ Forni e la Contessa sorprendono Ferretti nella prigione del Conte.

Il Palio di Siena

Le origini

Il Palio nasce nel Medio Evo come corsa di cavalli. Allora i nobili correvano in sella ai loro destrieri; [1] successivamente si affidavano le sorti della corsa ai loro ragazzi di stalla, i fantolini (fantini).

Inizialmente si correvano più palii, poi il palio diventa quello dell'Assunta (16 agosto), cui in seguito si è aggiunto quello del 2 luglio.

1. **destrieri** : cavalli di qualità.

Le contrade

Le contrade sono piccole città-stato, con un territorio, un popolo, un governo, una sede storica, un museo, un oratorio con funzioni ricreative.

Il capo della contrada è il Priore, il sacerdote è il Correttore. Nei giorni del Palio la massima autorità è il Capitano.

I contradaioli, nativi, geniali (nati fuori contrada da genitori contradaioli) o semplicemente simpatizzanti, devono fare delle offerte e versare delle quote, partecipare cioè attivamente alla vita della contrada.

In passato chi rifiutava doveva pagare una multa di 20 soldi (somma abbastanza elevata). Oggi l'offerta dipende dalle possibilità di ognuno.

Antiche tegole di tetti ("mezzane") restaurate e decorate a mano con i simboli delle contrade.

La lingua del Palio

Il Palio (pallium) è il tessuto di seta dipinta o di stoffa preziosa che va in premio ai vincitori della corsa. Ironicamente si chiama anche "cencio".

Il sorteggio che assegna i cavalli alle contrade si chiama "tratta". I cavalli si chiamano "barberi"; il "barberesco" è il

contradaiolo che ha in consegna il cavallo nei giorni precedenti il Palio. Il cortile del Palazzo Comunale, da cui escono i cavalli il giorno del Palio, è l'"Entrone". La "mossa" è il luogo che segna la linea di partenza del Palio e l'atto, deciso dal mossiere, di abbassare il canapo anteriore per dare inizio alla corsa. Questo avviene quando i nove cavalli sono allineati tra i due canapi e l'ultimo cavallo, quello della contrada che parte di rincorsa, è all'altezza del canapo posteriore.

Il "cavallo scosso" è il cavallo che ha disarcionato il fantino ed arriva al traguardo da solo.

Chi corre

Ogni anno corrono il Palio dieci delle diciassette contrade. Sette di queste sono quelle che non erano in piazza nell'edizione precedente, tre vengono invece estratte a sorte tra le altre. Il sorteggio avviene un mese prima del Palio. Tre giorni prima c'è la tratta, seguono tre giorni di prove (in totale sei) che terminano la mattina del Palio.

I partiti

I "patti" o alleanze si stringono tra contrade per ostacolare nemici comuni o facilitare la vittoria. Iniziano il giorno della tratta e vanno avanti, in segreto, fino alla mossa. I capitani pagano, con il denaro raccolto, l'illecita collaborazione dei fantini. L'obiettivo è vincere, ma anche la sconfitta della contrada nemica è fonte di gioia.

I fantini

I fantini disponibili veramente abili sono pochi. Devono essere bravi, non troppo pesanti ma forti per dominare il cavallo. Di solito non sono senesi e possono essere sostituiti fino al mattino del Palio. Per loro i senesi nutrono un sentimento d'amore e odio: il fantino può infatti tradire la contrada. I senesi danno loro subito un soprannome; uno dei più famosi è "Aceto".

I cavalli

I cavalli devono avere molte qualità: devono essere calmi, avere prontezza in partenza, facilità di entrare subito in azione, unire alla velocità impetuosa la capacità di ubbidire. Il cavallo deve anche essere intelligente e appassionato alla corsa. Il cavallo assegnato alla contrada per quel Palio non può essere sostituito neanche se muore.

La terra in piazza

Nei giorni che precedono il Palio, la piazza è ricoperta di tufo. Per i senesi l'espressione "mettere la terra in Piazza" vuol dire che inizia un periodo di festa per la città.

La vigilia

Una grande cena, a cui partecipano ospiti e contradaioli, si svolge
per le strade. È un momento di grande attesa e di speranze.

Il giorno del Palio

Sbandieratori senesi prima del Palio.

La giornata si apre con la messa del
fantino celebrata
dall'arcivescovo.
Nell'oratorio di contrada si
dà la benedizione al cavallo.
Il corteo storico, che rievoca
la grandezza della
Repubblica senese, è
composto da quattordici
gruppi, circa 600
figuranti vestiti in costumi
rinascimentali. Le dieci contrade che partecipano alla corsa
accompagnano il barbero, [1] il fantino e il palafreniere. [2] Le altre
sfilano senza cavalli e senza fantino. In ultimo, il Carroccio, il
carro trionfale trainato da buoi, sul quale si trova il Palio.
La sbandierata della vittoria, eseguita dalle diciassette contrade,
segna la fine del corteo.

---

1. **barbero** : cavallo impiegato per correre il palio.
2. **palafreniere** : persona che addestra all'equitazione.

La corsa

I fantini escono dall'Entrone e ricevono il nerbo di bue con il
quale colpire il proprio barbero ma anche cavalli e fantini
nemici. I giudici stabiliscono, per sorteggio, l'ordine di entrata
tra i canapi. Il mossiere chiama così le nove contrade che
devono allinearsi; la decima parte di rincorsa. Ci sono posti
buoni e cattivi. L'ideale è il decimo posto: dà diritto a entrare di
rincorsa; si può così tagliare la strada a quelli che stanno a
destra. Il primo posto è buono solo se il secondo fantino è
disposto a favorirlo. I posti intermedi sono buoni solo se si
hanno vicino degli "amici".
In media, un minuto e venti secondi bastano per percorrere i tre
giri della piazza.

Piazza del Campo durante un Palio.